250

UN MOT AUX PARENTS

Lorsque votre enfant est prêt à aborder le domaine de la lecture, *le choix* des livres est aussi important que le choix des aliments que vous lui préparez tous les jours.

La série **JE SAIS LIRE** comporte des histoires à la fois captivantes et instructives, agrémentées de nombreuses illustrations en couleurs, rendant ainsi l'apprentissage de la lecture plus agréable, plus amusant et plus en mesure d'éveiller l'intérêt de l'enfant. Un point à retenir : les livres de cette collection offrent *trois niveaux* de lecture, de façon que l'enfant puisse progresser à son propre rythme.

Le **NIVEAU 1** (préscolaire à 1re année) utilise un vocabulaire extrêmement simple, à la portée des très jeunes. Le **NIVEAU 2** (1re - 3e année) comporte un texte un peu plus long et un peu plus difficile. Le **NIVEAU 3** (2e - 3e année) s'adresse à ceux qui ont acquis une certaine facilité à lire. Ces critères ne sont établis qu'à titre de guide, car certains enfants passent d'une étape à l'autre beaucoup plus rapidement que d'autres. En somme, notre seul objectif est d'aider l'enfant à s'initier progressivement au monde merveilleux de la lecture.

D0332269

Deputy Dan
Texte copyright © 1985 by Joseph Rosenbloom
Illustrations copyright © 1985 Tim Raglin
Publié par Random House, Inc., New York

Version française publiée avec l'autorisation de Random House, Inc.
© Les Éditions Héritage Inc. 1988
Tous droits réservés

Dépôts légaux : 1er trimestre 1988
Bibliothèque nationale du Québec
Bibliothèque nationale du Canada

ISBN : 2-7625-4920-5   Imprimé au Canada

LES ÉDITIONS HÉRITAGE INC.
300, Arran, Saint-Lambert, Québec J4R 1K5
(514) 672-6710

Maxime

ATTRAPE SON HOMME

Texte de Joseph Rosenbloom
Illustrations de Tim Raglin
Adaptation française de Duguay Prieur inc.
Niveau 3

Mon nom est Maxime.

J'habite Plateville.

C'est un endroit très paisible. Mon travail consiste à le garder paisible.

Nous sommes le mardi 2 décembre. Il fait froid.

Je me trouve dans le bureau de mon patron, le shérif Legrand.

« Que dirais-tu d'une tasse de thé ? »
me demande le shérif.

« Il n'y a pas grand-chose à dire d'une
tasse de thé », lui dis-je.

« Je ne te demande pas de me parler
d'une tasse de thé, je veux seulement
savoir si tu aimerais boire du thé ! Sers-
toi un peu de ta tête ! Et apporte la
bouilloire. »

« Oui, patron. »

J'apporte la bouilloire sur ma tête.

« Que fais-tu avec la bouilloire sur la tête ? » me demande le shérif.

« Vous m'avez dit de me servir de ma tête. Je ne fais que suivre vos ordres. »

« Non, NON ! dit le shérif. Sers-toi de ta tête pour réfléchir et non pour transporter des bouilloires ! Laisse, je m'occupe du thé. En attendant, lis le rapport sur la disparition des poules de M. Lecoq. Tu peux sauter par-dessus les onze premières pages que tu as déjà lues. »

Je prends le rapport. J'étends les onze premières pages sur le plancher et j'essaie de sauter par-dessus.

Quand le shérif revient avec le thé, il me demande : « Mais que fais-tu ? »

« Je saute par-dessus les premières pages, comme vous me l'avez demandé. »

« Non, NON ! dit le shérif. Je ne voulais pas dire sauter par-dessus les pages avec tes pieds, mais ne pas les lire, tout simplement. »

Soudain, la porte s'ouvre avec fracas.

M. Ferré entre, tout excité. C'est le propriétaire du chemin de fer.

« On a attaqué le train ! » crie-t-il.

« Qu'a-t-on volé ? » demande le shérif.

« Les perles de la comtesse de Rochefort ! » répond-il.

Le shérif se tourne vers moi.

« Maxime, je te charge de cette affaire. Trouve les voleurs ! »

« D'accord, patron ! »

Je décide d'aller voir la comtesse de
Rochefort.

La comtesse est riche. Elle habite la
plus grande maison de Plateville.

Un serviteur ouvre la porte. Il
m'examine de la tête aux pieds.

Je lui dis que je veux voir la comtesse
de Rochefort.

« Qui dois-je annoncer ? » me demande-t-il.

« Moi-même », dis-je.

« Oui, mais quel est votre nom ? » me demande-t-il avec agacement.

« Ah, mon nom ! Je m'appelle Maxime et je suis l'adjoint du shérif Legrand. »

« Par ici, je vous prie », dit-il. Et il me conduit à la comtesse de Rochefort.

Elle a pleuré. Ses yeux sont rouges.

Un petit chien blanc avec une grosse boucle rose est assis sur ses genoux. En me voyant, il se met à grogner.

« Allons, Fifi chéri, dit la comtesse au chien. M. Maxime n'est pas méchant. » Les yeux de la comtesse s'emplissent de larmes.

« M. Maxime, dit-elle en sanglotant, vous devez capturer le voleur ! »

« Je ferai de mon mieux. »

« Cet horrible bandit est non seulement un voleur, mais une brute ! Il a malmené ma pauvre Fifi ! »

« Qu'est-il arrivé ? »

« J'étais assise dans le train, dit-elle, lorsqu'un homme est venu s'asseoir à côté de moi. Il n'arrêtait pas de regarder mes perles. Quel manque de savoir-vivre ! Fifi ne l'aimait pas non plus. Elle a mordu sa botte et ne voulait plus la lâcher. »

« L'homme a dit que si Fifi ne le
lâchait pas, il la mangerait sur un petit
pain avec de la moutarde ! Pouvez-vous
imaginer chose plus cruelle ? »

Et elle embrasse Fifi.

« Qu'est-il arrivé ensuite ? »

« Il a donné un coup de pied à Fifi.
Puis il m'a arraché mon collier. »

« Il a ensuite sauté hors du train et a pris la clé des champs. »

« Cette clé vous appartenait aussi ? »

« Mais non, ce n'est pas une vraie clé ! Je voulais dire qu'il a pris la fuite. »

« Pouvez-vous me décrire le voleur ? »

« Il est gros et grand. Il porte une grosse moustache noire et un cache-oeil. »

« Ça ne peut être que Sam la Terreur, le bandit le plus redoutable de tout l'Ouest. »

« Doux Jésus ! » s'exclame la comtesse.

Nous sommes le mercredi 3 décembre.
C'est nuageux.

Je suis dans le bureau du shérif.

M. Ferré entre.

« Alors, savez-vous qui a volé les perles de la comtesse ? » me demande-t-il.

« Oui, c'est Sam la Terreur. »

M. Ferré est secoué d'un frisson.

« Pas Sam la Terreur, le bandit le plus redoutable de tout l'Ouest ? »

Je fais signe que oui.

M. Ferré semble inquiet.

« Il y aura un convoi d'or sur le train demain, dit-il. J'ai bien peur que Sam la Terreur essaie de s'en emparer. »

« Maxime, je veux que tu bloques le convoi d'or, me dit le shérif Legrand. Rends-toi à la gare demain matin ! »

« D'accord, patron ! »

Je me mets à réfléchir. Comment puis-je bloquer le convoi ? Et si je clouais des planches sur tout le wagon ?

J'en parle au shérif :

« Une toute petite question. Où vais-je prendre le bois pour bloquer le convoi ? »

« Non, NON ! dit le shérif. Quand je parle de bloquer le train, je ne veux pas dire le barricader avec des planches. Je veux dire monter à bord du train et ouvrir l'oeil. »

« Mais, patron, je ne verrai pas très bien avec un seul oeil. »

Le shérif est maintenant très fâché. Il saisit son chapeau et commence à le manger. Son chapeau est réduit en miettes. Il se sent mieux.

« Non, NON ! Je ne voulais pas dire ouvrir un seul oeil, mais être très vigilant ! Il faut que tu empêches Sam la Terreur de voler les pépites d'or. »

« D'accord, patron ! »

Nous sommes le jeudi 4 décembre. Il y a du brouillard.

Je transporte deux sacs de voyage. Sur un des sacs, c'est écrit : « Pépites d'or », et sur l'autre : « Cailloux sans valeur ».

Je monte à bord du train. Je place les deux sacs sous mon siège.

Le train démarre.

Dix kilomètres plus loin, le train s'arrête.

L'homme le plus gros, le plus minable, le plus dur que j'aie jamais vu saute à bord du train. Il porte une grosse moustache noire et un cache-oeil. C'est Sam la Terreur !

« J'ai entendu dire qu'il y avait des pépites d'or dans ce train, grogne-t-il. Qui les cache ? » Il sort son fusil.

« Au secours ! » crient les passagers.

« Calmez-vous ! leur dis-je. Je m'en occupe. »

Je me dirige vers Sam la Terreur. Je lui montre mon insigne.

« Je suis Maxime, adjoint du shérif. »

Il pointe son arme vers moi.

Je n'ai pas peur.

« Je vous arrête au nom de la loi ! »

« Sais-tu à qui tu t'adresses ? » me demande-t-il.

« Bien sûr, vous êtes Sam la Terreur. On dit que vous êtes le bandit le plus redoutable de tout l'Ouest. »

« C'est vrai ! Je suis si redoutable que je fais peur aux fantômes. Si endurci que je mange mes fèves au lard sans ouvrir la boîte. Si fort que je me bats avec les ours les deux mains liées dans le dos. Alors, ne pense pas m'empêcher d'attaquer ce train. »

Je ris. « Mais personne n'est assez fort pour se battre contre un train. »

« Ne joue pas au plus malin. Donne-moi l'or ou je fais sauter le train. »

« Allons donc, un train, c'est bien trop lourd pour sauter... »

Mais Sam la Terreur ne me laisse pas terminer.

« Ferme-la ! grogne-t-il. Donne-moi les pépites, sinon ! »

« Il y a deux sacs sous mon siège, lui dis-je. Choisissez. »

Il regarde les deux sacs.

« Je prends celui qui est marqué : pépites d'or », me dit-il.

« Vous êtes bien sûr de votre choix ? »

« Certainement ! »

Je hausse les épaules. « Faites comme vous voulez. »

Il prend donc le sac marqué : pépites d'or. Puis, il saute hors du train et se sauve sur son cheval.

Dix minutes plus tard, le train s'arrête.

Sam la Terreur est de retour.

Il est en colère.

« Tu m'as joué ! hurle-t-il. Le sac que tu m'as donné contient des cailloux sans valeur. »

« Je ne vous ai pas donné le sac. Vous l'avez choisi, non ? »

« L'autre sac doit être le bon. Mais je veux m'en assurer. Ouvre-le ! »

Je sors le sac de sous le siège. Il est marqué : cailloux sans valeur.

Je viens pour ouvrir le sac, mais j'aperçois une fourmi sur la poignée.

Sam la Terreur la voit aussi. Il devient blanc. Il pousse un gémissement. Ses genoux s'entrechoquent.

Je lui demande ce qu'il a.

« Je n'ai peur ni des ours, ni des chats sauvages, ni des serpents à sonnette, dit Sam la Terreur, mais je hais les fourmis. »

« Il faut que je m'en souvienne », me dis-je.

J'ouvre le sac. Il est plein de pépites d'or. Sam la Terreur le saisit.

« Je suis riche ! crie-t-il. Riche ! »

« Vous ne partirez pas avec ce sac »,
dis-je.

Sam la Terreur me jette un regard
furieux. « Tu parles trop. J'en ai assez de
t'entendre. En fait, je vais te tuer. »

« Attendez ! Une personne à la veille de
mourir a droit à une dernière requête. »

« C'est juste, dit-il. Parle. »

« Je veux vous poser une devinette. »

« D'accord. Mais une seule. »

« Qu'est-ce qui est poilu, brun et jaune,
et possède des ailes, de grands yeux verts,
vingt pattes et un long aiguillon sur la
queue ? »

« Ça a l'air horrible, dit-il. Qu'est-ce
que c'est ? »

« Je ne sais pas, mais il y en a un qui se
promène sur votre dos ! »

« Aaaaaah ! hurle Sam la Terreur. Au
secours ! Enlevez-moi vite cette
horreur ! »

Sam la Terreur est tellement terrifié
qu'il échappe son pistolet.

Il ne me voit pas sortir mes menottes. L'instant d'après, il est mon prisonnier.

Je fouille Sam la Terreur. Je trouve les perles de la comtesse dans sa poche.

« J'ai une autre devinette pour vous, lui dis-je. Quelle est la plus grosse peine au monde ? »

« Je ne sais pas », dit-il.

« C'est celle que vous allez purger en prison. Vous en aurez sûrement pour cinquante ans. »

6

Nous sommes le vendredi 5 décembre.
Il fait soleil.

Je suis assis dans le bureau avec le
shérif. Nous mangeons des gâteaux avec
du lait.

M. Ferré et la comtesse de Rochefort
entrent. La comtesse tient Fifi dans ses
bras.

« Merci d'avoir sauvé l'or », dit
M. Ferré.

« Et merci beaucoup, M. Maxime,
pour avoir retrouvé mes précieuses
perles », dit la comtesse.

Même Fifi semble contente de me voir.
Elle ne grogne pas lorsque je lui flatte la
tête.

M. Ferré me serre la main.

« Veuillez accepter ce billet de chemin de fer à titre de récompense, dit-il. À l'avenir, vous pouvez prendre le train à votre guise; vous n'aurez qu'à présenter ce billet. »

« Mais je ne peux pas accepter. Comment voyageront les gens si je prends le train ? »

M. Ferré rit. « Je ne voulais pas dire prendre le train avec vous, mais voyager en train. »

« Merci, lui dis-je. Mais je ne peux toujours pas accepter ce billet. »

« Pourquoi donc ? » demande le shérif.

« Si tous les passagers doivent payer pour prendre le train, je dois payer moi aussi. »

« J'ai une idée merveilleuse, dit la comtesse. Il n'y a pas de statue à Plateville. Que diriez-vous d'en ériger une en l'honneur de M. Maxime ? »

« Oui ! Maxime est un vrai héros », dit M. Ferré.

« Celui qui a capturé Sam la Terreur mérite une statue », dit le shérif.

Fifi remue la queue.

La comtesse de Rochefort sourit.

Je souris aussi. L'idée d'une statue
érigée en mon honneur me plaît !

Il n'y a pas beaucoup de bandits en ville depuis quelque temps. Ils ont sûrement appris ce qui est arrivé à Sam la Terreur.

Plateville est redevenue paisible. Et c'est comme ça que je l'aime.